LES BLAGUES DE toto

2. La rentrée des crasses

Scénario et dessin
Thierry Coppée

Couleur
Lorien

DELCOURT

Un grand merci à ma petite famille (grand merci à Valérie).
Merci à Lorien pour son écoute et... son boulot.
Merci à Thierry pour son travail en coulisse.

À mes parents.

À l'occasion de la sortie du tome 1 des Blagues de Toto, L'École des vannes,
les Éditions Delcourt avaient organisé un jeu-concours. Il s'agissait pour les enfants
âgés de 6 à 12 ans de raconter leur blague de Toto préférée. Retrouve dans ce
deuxième volume les cinq blagues gagnantes dessinées par Thierry Coppée.
Et bravo à tous les enfants qui ont participé !

© 2004 Guy Delcourt Productions

Tous droits réservés pour tous pays
Dépôt légal : septembre 2004. I.S.B.N. : 978-2-84789-513-1

Lettrage : Ségolenne Ferté
Conception graphique : Trait pour Trait

Loi n° 49-956 du 16 juillet 1949
sur les publications destinées à la jeunesse

Achevé d'imprimer en janvier 2009
sur les presses de l'imprimerie Pollina, à Luçon - n° L21811

www.editions-delcourt.fr

Le nom du père

(5ᵉᵐᵉ prix - blague de Martin Talon)

2 SEPTEMBRE...

AUJOURD'HUI, J'AIMERAIS BEAUCOUP QUE VOUS ME DISIEZ CHACUN QUEL EST LE PRÉNOM DE VOTRE PAPA !

TOI, IGOR, COMMENT S'APPELLE TON PAPA ?

MON PAPA S'APPELLE DAVID.

ET TOI, OLIVE, COMMENT SE PRÉNOMME LE TIEN ?

IL S'APPELLE PATRICK, MADAME.

ET QUEL EST LE NOM DU PAPA DE YASSINE ?

MON PÈRE S'APPELLE ISMAËL, MADAME !

ET LE MIEN S'APPELLE PHILIPPE, MADAME.

BIEN, CAROLE !

ET LE NOM DU PAPA DE NOTRE AMI TOTO, QUEL EST-IL ?

HEU, JE M'EN SOUVIENS PLUS...

MAIS ENFIN, TOTO, RÉFLÉCHIS ! QUAND ON L'APPELLE DANS LA MAISON, ON DOIT BIEN LE FAIRE PAR SON NOM ?

POUR L'APPELER ? HEU... QU'EST-CE QU'ON DIT ? SON PRÉNOM, C'EST...

... AH OUI, C'EST " ON MAAANGE ! "

3

Truc de mémoire

BON, LES MÔMES, JE SUIS VOTRE NOUVEAU PROFESSEUR DE GYMNASTIQUE. JE M'APPELLE MADEMOISELLE GOSSEIN, COMPRIS ?!

CLOUPS

AÏE

N'OUBLIEZ JAMAIS CE NOM ! GARE À CELUI QUI SOUFFRE DE TROUS DE MÉMOIRE, IL APPRENDRA À TRANSPIRER !

OUFTI

OUILLE

FAIS DU SPORT

CINQUANTE MINUTES PLUS TARD...

ET N'OUBLIEZ PAS, AU PROCHAIN COURS, JE VÉRIFIE !

À JEUDI !

VESTIAIRE

DEUX JOURS PLUS TARD...

AÏE, AÏE, ON COMMENCE PAR GYM.

GODIN, BODIN, JE PARIE QUE ÇA VA ÊTRE POUR MOI !

MOI, MON FRANGIN M'A DONNÉ UN TRUC POUR PAS SE TROMPER !

QUOI, DIS-LE-MOI VIIIIITE !

COOL, TOTO, COOL !

ÉCOUTE, C'EST FACILE, TU N'AS QU'À PENSER À GROS SEIN, MAIS TU RETIRES LE « R », ÇA FAIT GOSSEIN. PAS BÊTE, HEIN ?

HÉ HÉ

ON VA VOIR SI CES CHÉRUBINS ONT ENCORE QUELQUE CHOSE DANS LE CRÂNE !

TOI, LE NAIN, DIS-MOI COMMENT JE M'APPELLE ?

NICHRON, MADAME, NICHRON !

COPPÉE OSIOH

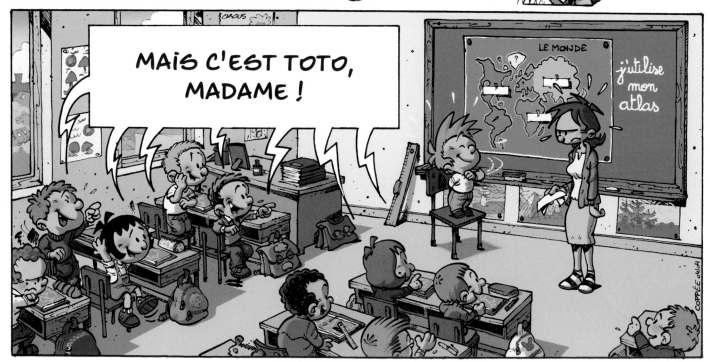

MIAM MIAM
SCRUNCH
SCRUNCH

GLOUGLOUGLOU
ROOOOH
BURPS

TOTO, SERAIT-IL POSSIBLE QUE TU MANGES EN FAISANT MOINS DE BRUIT ? ON DIRAIT UN GORET EN PLEINE ACTION !

?

MIAM, MIAM, SCRUNCH, SCRUNCH

TU SAIS AU MOINS CE QU'EST UN GORET, TOTO ?

BEN, PAPA, C'EST LE FILS DU COCHON !

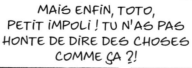

Discussion stupide

... ET À L'AVENIR, FAITES ATTENTION, CAR LA STUPIDITÉ PEUT VOUS JOUER DE VILAINS TOURS.

VOYONS VOIR... QUE CELUI QUI S'EST SENTI UN JOUR STUPIDE SE LÈVE !

HUM, HUM !

HA ! TOTO, TU PENSES DONC QUE TU AS PARFOIS ÉTÉ STUPIDE ?

PAS DU TOUT, MADAME, MAIS ÇA ME FAISAIT DE LA PEINE DE VOUS VOIR DEBOUT TOUTE SEULE !

SNIF !

Drôle de chute

ALORS, TOTO, QUE S'EST-IL PASSÉ ?

MON PAUVRE TOTO !

OLIVE, YASSINE, COMME C'EST GENTIL D'ÊTRE VENUS !

J'AI ÉTÉ RENVERSÉ PAR UN VÉLO.

MAIS UN VÉLO NE FAIT PAS AUTANT DE DÉGÂTS !?

MÊME UN GRAND.

OUI, MAIS JUSTE APRÈS UNE MOTO L'A SUIVI.

HOLÀLÀ, UNE MOTO !

ET ELLE NE T'A PAS RATÉ !

OH, ÇA NON !

ENSUITE, UNE VOITURE M'A FAUCHÉ !

APRÈS, J'ÉTAIS TROP SONNÉ POUR ÉVITER L'AVION.

QUOI, TU T'ES PRIS AUSSI UN AVION ?!

OUI, MAIS J'AI EU DE LA CHANCE, CAR AVANT QUE JE ME PRENNE LA FUSÉE DANS LES DENTS, LE PATRON DU MANÈGE A COUPÉ LE COURANT !

?!

COPPÉE 02/04

Le fruit de la fraction

SUITE À NOTRE RECHERCHE DANS LE DICTIONNAIRE, QU'AVEZ-VOUS PU REMARQUER QUAND ON AJOUTE LES LETTRES " IN " DEVANT UN ADJECTIF ?

variable
discret
stable
connu

invariable
indiscret
instable
inconnu

L'ADJECTIF DEVIENT MAUVAIS.

C'EST PAS ÇA, MADAME ! ON DIT QU'IL DEVIENT NÉGATIF !

BIEN, IGOR !

TROUVEZ-MOI DES MOTS COMMENÇANT PAR " IN " ET QUI ONT UN SENS NÉGATIF !

INVISIBLE !

INVOLONTAIRE !

INSATISFAIT !

INCOMPLET !

INFIDÈLE !

LA PRÉHISTOIRE

MOI, MOI, J'EN AI UN !

EH BIEN, NOUS T'ÉCOUTONS, TOTO !

INSTITUTRICE !

COPPÉE 07/04

Un ticket avec elle
(2ème prix - blague de Jeanne Baliteau)

UNE PLACE, S'IL VOUS PLAÎT.

VITE, MADAME ! MA COPINE M'ATTEND DÉJÀ.

?

JE VOUDRAIS UNE AUTRE PLACE, MADAME.

?

JE VOUDRAIS ENCORE UNE PLACE, MADAME.

ENCORE, MAIS CELA FAIT LE TROISIÈME TICKET QUE JE TE DONNE !

C'EST PAS MA FAUTE, IL Y A UN MONSIEUR LÀ-BAS QUI N'ARRÊTE PAS DE LES DÉCHIRER QUAND J'ARRIVE PRÈS DE LUI.

Origines originales

MAMAN, J'AI UN DEVOIR POUR L'ÉCOLE ! JE DOIS EXPLIQUER COMMENT JE SUIS NÉ.

EH BIEN... C'EST UNE CIGOGNE QUI T'A AMENÉ JUSQU'À LA MAISON.

AH ! ET TOI, T'ES NÉE COMMENT ?

ÇA, TU DOIS LE DEMANDER À BON-PAPA ET BONNE-MAMAN. ILS VIENNENT DÎNER CE SOIR À LA MAISON.

LE SOIR...

BONNE-MAMAN, TU PEUX M'EXPLIQUER COMMENT MA MAMAN EST NÉE ? C'EST POUR UN DEVOIR POUR L'ÉCOLE.

EH BIEN... UN MATIN, NOUS L'AVONS TROUVÉE AU MILIEU DES ROSIERS DU JARDIN.

COMME MOI, D'AILLEURS, DANS LES ROSES DE MES PARENTS !

ET TOI, BON-PAPA ! T'ES NÉ COMMENT ?

HÉ, HÉ, JE CROIS QUE MES PARENTS M'ONT TROUVÉ DANS LES CHOUX DE LEUR POTAGER !

LE LENDEMAIN...

ALORS, TOTO, T'AS FAIT TON DEVOIR SUR LA NAISSANCE DES ENFANTS ?

TU PARLES ! J'AI RIEN PU FAIRE DU TOUT ! IL N'Y A PAS EU DE NAISSANCE NATURELLE DANS MA FAMILLE DEPUIS TROIS GÉNÉRATIONS !

Circonquoi ?

YEEAAHH !

RHAAA ! JE N'EN PEUX PLUS ! VITE, VITE !

MOI D'ABORD ! PREM'S, PREM'S !

HAAAAA, ÇA SOULAGE !

HÉ, IL NE TE MANQUE PAS QUELQUE CHOSE AU BOUT DE TON ZIZI ?

QUOI ? OH ÇA, CE N'EST RIEN. J'AI ÉTÉ CIRCONCIS À L'ÂGE DE DEUX SEMAINES.

CIRCONQUOI ?

ON M'A ENLEVÉ UN PEU DE PEAU TOUT AU BOUT.

ET TU AS EU MAL ?

NE M'EN PARLE PAS ! APRÈS ÇA, J'AI PAS PU MARCHER AVANT MON PREMIER ANNIVERSAIRE !

HOLÀ, LA VACHE !

COPPÉE 01|04

18

poésie:
Les jours de
la semaine

IL EST IMPORTANT QUE LA FIN DE VOS VERS RIME POUR QUE VOTRE POÈME SOIT RÉUSSI.

PAR EXEMPLE : CHAQUE LUNDI APRÈS-MIDI, JE VAIS AU PARC AVEC PAPY.

CAROLE, À TOI !

HIER, PAPA M'A DIT QU'IL PARTIRA MARDI.

EXCELLENT ! QUI VEUT ESSAYER AVEC UN AUTRE JOUR ?

J'SUIS CONTENT D'ÊTRE VENDREDI, CAR L'ÉCOLE, ELLE EST FINIE !

MOUAIS, YASSINE !

ET TOI, TOTO, À QUOI RESSEMBLE TA POÉSIE ?

HEU... DIMANCHE, JE SUIS ALLÉ À LA PÊCHE AUX GRENOUILLES ET J'AVAIS DE L'EAU JUSQU'AUX GENOUX !

MAIS ENFIN, TOTO, ELLE NE RIME PAS DU TOUT ! TU N'AS RIEN ÉCOUTÉ, MA PAROLE !

SI SI, J'AI BIEN ÉCOUTÉ, MADAME ! MAIS CE N'EST PAS DE MA FAUTE S'IL N'Y AVAIT PAS ASSEZ D'EAU !

COPPÉE 02/04

L'angoisse

Tête à tarte
(4ᵉᵐᵉ prix - blague de Floriane Joveneau)

21

Ce vieil inconnu

Question vache

APRÈS NOTRE VISITE DE LA FERME, POUVEZ-VOUS ME DIRE À QUOI SERVENT CES ANIMAUX ?

à quoi sert-on ?

RAPPELEZ-VOUS CE QUE DISAIT LE FERMIER ! PAR EXEMPLE, LA POULE, QUE DONNE-T-ELLE ?

DES ŒUFS, MADAME, TOUS LES MATINS.

BIEN, OLIVE ! ET QUE DONNE LE MOUTON ?

DES PULLS, M'DAME !

TU Y ES PRESQUE ! C'EST AVEC SA LAINE QU'ON FABRIQUE DES PULLS.

ET LE COCHON, QUE NOUS DONNE-T-IL ?

DE LA VIANDE !

TRÈS BIEN, MARYSETTE !

ET TOI, TOTO, PEUX-TU ME DIRE CE QUE NOUS DONNE LA VACHE ?

BEN... DES DEVOIRS, MADAME !

COPPÉE 05/04

(✱) VOIR TOME 1 : FERME-LA.

Distribution des drôles

(3ème prix - blague de Baudoin Pauchier-Magnan)

LA FÊTE AURA LIEU DANS UN MOIS EXACTEMENT. C'EST SUR CETTE SCÈNE QUE VOUS JOUEREZ LE SPECTACLE À VOS PARENTS.

ET J'AURAIS BESOIN DE L'UN D'ENTRE VOUS POUR LEUR PRÉSENTER CE QUE NOUS AURONS PRÉPARÉ.

MADAME, MADAME !

TOI, TOTO ? VIENS PRÈS DE MOI !

AS-TU UNE BONNE MÉMOIRE ?

OH, NON !

TU N'AS PAS PEUR DE PARLER EN PUBLIC ?

SI, SI, J'AI LA TROUILLE.

MAIS POURQUOI AS-TU LEVÉ TON DOIGT ?

POUR VOUS DIRE QU'IL NE FAUT SURTOUT PAS COMPTER SUR MOI POUR LE FAIRE !

C'est du pareil au même

J'AI CORRIGÉ LES CONTRÔLES DE MATH...

... ET POUR CERTAINS, C'EST UNE CATASTROPHE !

SAUF POUR IGOR, BRAVO ! 20 SUR 20, C'EST EXCELLENT !

GNAGNAGNA, C'EST EXCELLENT, FÉLICITATIONS !

PAR CONTRE, TOI, TOTO, JE NE TE FÉLICITE PAS, LOIN DE LÀ ! 2 SUR 20 !

MAIS LE PLUS ÉTRANGE, MES AMIS, C'EST QUE TOTO A EXACTEMENT LES **MÊMES** FAUTES QUE SON VOISIN DE DEVANT.

ALORS, COMMENT M'EXPLIQUES-TU CE MYSTÈRE ?

MAIS, MADAME, C'EST SIMPLE ! C'EST PARCE QU'ON A LA **MÊME** MAÎTRESSE !

MAIS QUE FONT-ILS ? ILS VEULENT NOUS INTERDIRE D'ALLER AUX TOILETTES !

ECOLE IV

MAIS NON ! ILS VONT RASER CES TOILETTES-LÀ PENDANT LES VACANCES D'ÉTÉ ET EN CONSTRUIRE DES NOUVELLES !

C'EST VRAI QU'ON DEVAIT Y ALLER LE NEZ BOUCHÉ !

ÇA DEVENAIT IRRES-PIRABLE POUR LA DIRECTRICE QUAND ELLE OUVRAIT LES FENÊTRES DE SON BUREAU.

SALUT ! ALORS, LE CONTRÔLE D'HISTOIRE DE CE MATIN, FASTOCHE, HEIN ?

MOI, JE TROUVE CES CONTRÔLES DE FIN D'AN-NÉE PARTICULIÈREMENT STIMULANTS !

TU PARLES ! JE SENS QUE C'EST LA MAIN DE MON PÈRE QUI VA ÊTRE STIMULÉE À LA VUE DE MON PROCHAIN BULLETIN !

AU CONTRÔLE, J'AI REMIS UNE FEUILLE BLANCHE CAR J'AVAIS PAS PU ÉTUDIER...

C'EST COMME MOI, ALORS !

T'AVAIS AUSSI OUBLIÉ TON CAHIER ?

MOI, TU SAIS, EN HISTOIRE, À PART LES HISTOIRES DRÔLES, J'Y CONNAIS RIEN !

OH, MAIS ALORS...

... POURVU QUE MELLE JOLIBOIS NE PENSE PAS QU'ON AIT COPIÉ L'UN SUR L'AUTRE !

COPPÉE pé 04

Un bon deal

HUM, HUM, PAPA...

HA, CHOUETTE, UN BULLETIN ! VOYONS ÇA !

HO, HO, MATH : 2 SUR 10, FRANÇAIS : 4 SUR 10, ÉVEIL : 0 SUR 10, MAGNIFIQUE ! POLITESSE : BIEN, MMH, SOIN : ASSEZ BIEN, ET EFFORT : INSUFFISANT, TU M'ÉTONNES !

BON ! TOTO, QUELQUE CHOSE ME DIT QUE TON PROCHAIN BULLETIN SERA MEILLEUR. TU SAIS POURQUOI ?

HEU, NON, PAPA !

PARCE QUE JE TE DONNERAI 2 EUROS CHAQUE FOIS QUE TU AURAS UNE NOTE SUPÉRIEURE À 7 SUR 10 !

ALORS, TOPE LÀ !

TOPE LÀ !

LE LENDEMAIN...

?

DITES, MADAME, JE PEUX VOUS DIRE QUELQUE CHOSE ?

Calcul écrit

135 + 78 =
409 - 191 =
32 × 13 =
142 : 6 =

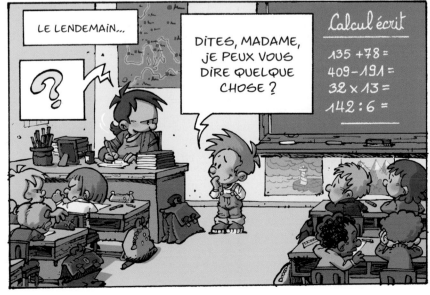

ÇA VOUS DIRAIT DE GAGNER 1 EURO CHAQUE SEMAINE ?

Le sens de l'observation
(1er prix - blague de Félix Riousse)